D0976443

SOMMAIRE

NO.1

Animaux monstrueux, espèces rares...

Richesses enfouies, trésors cachés...

Monde des démons, terres inexplorées ...

Et certains hommes sont attirés par cette force.

Le mot "INCONNU" dégage quelque chose de magique...

N°001 LE JOUR DU DÉPART

L'île
de la
Baleine.

CUI
CUI

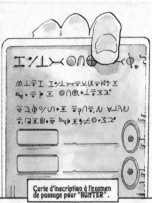

Carte d'inscription à l'examen de passage pour "HUNTER".

OUPS !

ARGH !

QUELS IRRESPONSABLES ! FAITES UN PEU ATTENTION À CE QUE VOUS DITES !

MAIS OUI ! JE SUIS SÛR QUE GON FERA UN TRÈS BON HUNTER.

ALLEZ, ACCEPTE ! LAISSE-LE AU MOINS PASSER CET EXAMEN.

BIP

N'EST-CE PAS ?

C'EST D'AILLEURS TOI, MITO, QUI M'AS APPRIS QU'IL FALLAIT TOUJOURS TENIR SES PROMESSES !!

ELLE A RAISON ! LES MOTS ONT LEUR IMPORTANCE.

14

QUELQU'UN A TRÈS BIEN PU LE LUI DIRE ; À MOINS QUE SA DÉCISION NE SOIT QU'UNE COÏNCIDENCE...

DE TOUTE FAÇON, JE ME DOUTAIS QU'UN JOUR CELA ARRIVERAIT.

LUI-MÊME NE M'A JAMAIS RIEN DEMANDÉ !!

JE NE LUI AI POURTANT JAMAIS DIT QUE SON PÈRE ÉTAIT HUNTER !!

CETTE LUMIÈRE DANS SES YEUX... SON PÈRE AVAIT EXACTEMENT LA MÊME.

MOI, JE N'AI PAS LA FORCE DE L'ARRÊTER ...

EN FAIT, JE SAIS TOUT DEPUIS BIEN LONGTEMPS ...

PARDON, MITO !

SPLASH

L'ÉLIMINER.

QU'EST-CE QUE VOUS ALLEZ FAIRE DU PETIT ?

!!

SI ON LE LAISSE VIVRE, IL Y A DE TRÈS FORTES CHANCES POUR QU'IL NOURRISSE UN SENTIMENT DE HAINE À L'ÉGARD DES HUMAINS QUI ONT TUÉ SA MÈRE. IL REPRÉSENTERA ALORS UN GRAND DANGER POUR EUX.

IL N'EST PAS ENCORE SEVRÉ. IL VA MOURIR DE FAIM.

TCHAC

FIUT

?

TAP

TCHAC
TCHAC

C'EST IMPOSSIBLE !

JE VAIS L'ÉLEVER !

TCHAC
TCHAC

LES OURS-RENARDS NE SE LAISSENT PAS APPRIVOISER PAR LES HOMMES !

TCHAC
TCHAC

FLIIT
FLIIT

HUM

MAIS...
TU ES...

...!!

DIS-MOI !
TON PÈRE NE S'APPELAIT PAS JIN PAR HASARD !?

PFFFT

"M'SIEUR" ?

VOUS CONNAISSEZ MON PÈRE, M'SIEUR !?

KON... NOUS NE POURRONS PLUS NOUS VOIR DÉSORMAIS...

OUF

BON...

PARCE QUE JE VAIS DEVENIR HUNTER !!!

C'EST POURQUOI UN ANIMAL QUI S'ENTEND BIEN AVEC UN HUNTER NE POURRA JAMAIS RÉGNER SUR LA FORÊT.

UN HUNTER DOIT ÊTRE CRAINT DES ANIMAUX DE LA FORÊT ET DOIT FAIRE UN TRAVAIL QUI LUI ATTIRE SOUVENT LA HAINE DES AUTRES.

TU COM-PRENDS...?

KON... TU ES LE SEIGNEUR DE CETTE FORÊT... JE NE VEUX PAS TE CRÉER D'ENNUIS.

EN DÉBUT DE SEMAINE PROCHAINE...

QUAND PARS-TU ?

JE VOIS.

OUI.

CE QUE FAISAIT TON PÈRE, TU LE SAVAIS...?

IL T'A ABANDONNÉ ALORS QUE TU N'ÉTAIS ENCORE QU'UN PETIT BÉBÉ...

ET MAL-GRÉ CELA...

IL...

CLAC

TU N'ES PAS SON FILS POUR RIEN !!

TOI !

TAC

PARDON, MITO.

JE SUIS SON FILS.

MAIS TU AS RAISON...

PARCE QUE C'EST LE MEILLEUR HUNTER QUI EXISTE !

LA DERNIÈRE ÉPREUVE CONSISTE À LE RETROUVER...

ET ÇA, C'EST PLUS DIFFICILE QUE N'IMPORTE QUELLE CHASSE...

JE PARS À LA RENCONTRE DE MON PÈRE !!

34

PRENDS SOIN DE TOI !

JE TE PROMETS DE DEVENIR UN SUPER HUNTER ET DE REVENIR !!

CHAQUE ANNÉE, DES QUATRE COINS DU PAYS, DES MILLIERS D'HOMMES TOUS PLUS HABILES LES UNS QUE LES AUTRES VONT PASSER LES TESTS...

RIEN QUE SUR CE BATEAU, NOUS SOMMES DES DIZAINES À ESPÉRER DEVENIR HUNTER.

BEAUCOUP D'APPELÉS, MAIS TRÈS PEU D'ÉLUS.

TU PLAISANTES, PETIT...

HA HA HA...

UN SUPER HUNTER...?

CHACUN A SES PRIORITÉS ET ICI, IL N'EST PAS RARE D'ALLER JUSQU'À TUER SES PROPRES COMPAGNONS...

TU VOIS, GAMIN, C'EST PLUS FACILE À DIRE QU'À FAIRE...

Ainsi commençait le voyage de Gon, parti pour devenir Hunter et rencontrer son père.

"Ça va se déchaîner"... Voilà ce qu'avait dit le capitaine du bateau, voilà ce que Gon garda en mémoire...

DANS LA TEMPÊTE

HUNTER

Terme désignant des personnes prêtes à risquer leur vie pour pouvoir mettre la main sur des biens précieux et autres objets très difficiles à acquérir.

N'obtiennent ce titre que ceux qui passent avec succès le très sévère examen d'évaluation. On prétend que le taux de réussite serait inférieur à un sur 10 000.

SPLASH

ET SI TU TE SERVAIS DE L'ARRIÈRE-TRAIN DE TOUS CES BONS À RIEN DE PASSAGERS POUR COLMATER LA BRÈCHE, HEIN ?!

ARGH !!

CAPITAINE ! ON A UNE INFILTRATION PAR LA COQUE !

ACCROCHEZ-VOUS ! ON VA DÉCOLLER !

ALLEZ ! BARRE À BÂBORD TOUTE !

AH, ÇA OUI !

ON A EU DE BELLES PETITES VAGUES...

FUUUU

COMME LES ANNÉES PRÉCÉDENTES...

TAP TAP

ALORS, COMMENT SONT-ILS CETTE ANNÉE ?

TADAN

ば〜h!!

ILS SONT QUASIMENT À L'AGONIE.

AAA... OOOH... KOF KOF...

AAAA...

FILI FILI

ET ÇA PRÉTEND VOULOIR DEVENIR HUNTER ? LAISSEZ-MOI RIRE...

TAC

AH ! CE N'EST PAS UN ENTRAÎNEMENT POUR LES MAUVIETTES.

42

JE NE L'AI JAMAIS VU QU'EN PHOTOS, MAIS J'AI BEAUCOUP D'ADMIRATION POUR LUI !!

HUNTER !

QUE FAIT TON PÈRE DANS LA VIE ?

C'EST TOI QUI AS EMBARQUÉ À L'ÎLE DE LA BALEINE, N'EST-CE PAS ?

PETIT !

OUI.

CE JOUR A FINI PAR ARRIVER...

JE VOIS...

EN MAINTENANT CETTE VITESSE, NOUS DEVRIONS ÊTRE AU CŒUR DE LA TEMPÊTE DANS À PEU PRÈS TROIS HEURES.

LES VAGUES SERONT CERTAINEMENT DEUX FOIS PLUS GROSSES QUE TOUT À L'HEURE...

SERAIS-TU CAPABLE DE ME DIRE QUAND LA TEMPÊTE SERA SUR NOUS ET QUELLE SERA SON AMPLEUR ?

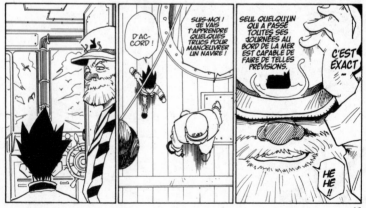

D'AC-CORD !

SUIS-MOI ! JE VAIS T'APPRENDRE QUELQUES TRUCS POUR MANŒUVRER UN NAVIRE !

SEUL QUELQU'UN QUI A PASSÉ TOUTES SES JOURNÉES AU BORD DE LA MER EST CAPABLE DE FAIRE DE TELLES PRÉVISIONS.

C'EST EXACT...

HE HE !!

SI TU VEUX VRAIMENT DEVENIR UN HUNTER DE PREMIER ORDRE, TU DOIS SAVOIR TOUT FAIRE.

D'ICI LÀ, TU DEVRAS AVOIR RETENU L'ESSENTIEL DES MANŒUVRES D'UN BATEAU.

SI LE VENT DE TERRE CHANGE QUELQUE PEU, IL EST FORT POSSIBLE QUE LA TEMPÊTE SOIT LÀ DANS À PEINE DEUX HEURES ET DEMIE.

QUOI !!!

QUE CEUX QUI CRAIGNENT POUR LEUR VIE SE DIRIGENT SANS PLUS ATTENDRE VERS LES CANOTS DE SAUVETAGE AFIN DE GAGNER L'ÎLE LA PLUS PROCHE.

NOUS ALLONS ENTRER DANS UNE ZONE DE TURBULENCE DEUX FOIS PLUS VIOLENTE QUE LA PRÉCÉDENTE.

AAAAAAH

AARGH

OH NON ! ÇA SUFFIT...

FIUUUUU

CRAC

CRAC

FINALEMENT, IL NE RESTE QUE VOUS TROIS ?

VOS NOMS ?

LES RAISONS QUI ME POUSSENT À VOULOIR DEVENIR HUNTER M'APPARTIENNENT ET SONT TRÈS PERSONNELLES.

PARLER EN TOUTE HONNÊTETÉ DEVANT DES PERSONNES QUE JE VIENS À PEINE DE RENCONTRER...

QUEL ÂGE TU AS ? ON NE T'A PAS APPRIS À RESPECTER TES AÎNÉS ?

EH !

JE SUIS D'ACCORD AVEC CE TYPE.

C'EST POURQUOI IL M'EST IMPOSSIBLE DE VOUS RÉPONDRE EN CES LIEUX.

JE SUIS LÉORIO ! MONSIEUR LÉORIO !

OH ! TU M'ÉCOUTES !?

JE PENSE QUE LE MENSONGE EST UN ACTE ENCORE PLUS HONTEUX QUE LA CUPIDITÉ.

JE PRÉFÈRE NE PAS RÉPONDRE À VOS DÉSAGRÉABLES QUESTIONS PLUTÔT QUE DE VOUS MENTIR.

DANS CE CAS, VOUS ALLEZ DEVOIR DESCENDRE DE CE NAVIRE AU PLUS TÔT.

TRÈS BIEN... JE VOIS...

L'EXAMEN POUR LE TITRE DE HUNTER A DÉJÀ COMMENCÉ.

VOUS N'AVEZ TOUJOURS PAS COMPRIS ?

COMMENT ?

!

VOUS N'IGNOREZ PAS QU'IL Y A AUTANT DE POSTULANTS AU TITRE QUE D'ÉTOILES DANS LE CIEL...

EN RAISON D'UN MANQUE DE TEMPS ET DE PLACE, IL EST DONC IMPOSSIBLE DE JUGER DES CAPACITÉS DE CHACUN.

ALORS ON FAIT APPEL À DES GENS COMME MOI POUR "ÉCRÉMER" LES CANDIDATS.

ALORS, METTEZ DE CÔTÉ VOTRE MÉFIANCE ET RÉPONDEZ À MA QUESTION.

QUANT À SAVOIR SI VOUS IREZ OU NON PASSER CET EXAMEN, LA DÉCISION ME REVIENT !

CRAAC

AINSI, EXCEPTION FAITE DE VOUS TROIS, TOUS LES AUTRES PASSAGERS ONT D'ORES ET DÉJÀ ÉTÉ ENREGISTRÉS COMME "RECALÉS" AUPRÈS DU GRAND JURY.

JE SUIS LE SEUL SURVIVANT DU CLAN KURUTA.

JE...

CRAAC

MÊME S'ILS PARVIENNENT JUSQU'AU LIEU DE L'EXAMEN, LES PORTES LEUR RESTERONT FERMÉES.

C'EST POUR CAPTURER LA BRIGADE FANTÔME QUE JE VEUX DEVENIR HUNTER.

IL Y A QUATRE ANS, TOUS MES PROCHES ONT ÉTÉ TUÉS PAR UNE BANDE DE VOLEURS.

JE N'AI ABSOLUMENT PAS PEUR DE LA MORT.

LA BRIGADE FANTÔME APPARTIENT À LA CLASSE A. MÊME LES MEILLEURS HUNTERS RÉFLÉCHIRONT À DEUX FOIS AVANT DE T'AIDER.

DEVENIR UN CHASSEUR DE LA BLACK LIST?

CE QUE JE CRAINS LE PLUS, C'EST QUE MA RAGE NE S'ESTOMPE JAMAIS.

TU COURS VERS UNE MORT CERTAINE ET INUTILE.

BON, ET TOI, LÉOLIO ?

SI JE NE DEVIENS PAS HUNTER, JE N'AURAI PAS DE DROIT D'ACCÈS À CERTAINS LIEUX, CERTAINES INFORMATIONS, ET CERTAINS DÉPLACEMENTS. C'EST PROBABLEMENT UN DÉTAIL QUI AVAIT ÉCHAPPÉ À TES PETITS NEURONES.

ÇA, LÉOLIO, C'EST BIEN LA QUESTION LA PLUS IDIOTE QU'ON M'AIT JAMAIS POSÉE.

EN BREF, TU VEUX TE VENGER... ET TU AS BESOIN DE DEVENIR HUNTER POUR ÇA ?

PFF..

UNE SUPER BARAQUE, UNE VOITURE CLASSE, LE MEILLEUR ALCOOL...!

L'ARGENT ! AVEC L'ARGENT, ON PEUT TOUT AVOIR !

MOI ? AU FOND VOUS AVEZ UNE BONNE TÊTE ET JE VAIS VOUS RÉPONDRE ! JE NE VAIS PAS Y ALLER PAR QUATRE CHEMINS, PARLONS FRANCHEMENT !

MALHEUREUSEMENT LES BONNES MANIÈRES NE S'ACHÈTENT PAS, LÉORIO.

TIC

ALLONS FAIRE COULER UN PEU DU SANG "NOBLE" DE CE CLAN "KURUTA" OU JE NE SAIS QUOI...

SUIS-MOI SUR LE PONT, KURAPIKA.

C'EST LA TROISIÈME FOIS.

QUOI ?

LAISSONS-LES FAIRE.

EH ! JE N'AI PAS FINI DE PARLER !

VIENS.

JE TE SUIS.

RETIRE CE QUE TU VIENS DE DIRE, LÉORIO.

BEN... VOUS NE VOULEZ PLUS PASSER MON EXAMEN ?

ドィイイ CRAAC

"MONSIEUR LÉORIO".

DE MON POINT DE VUE, ILS ONT TOUS DEUX DE BONNES RAISONS D'ÊTRE EN COLÈRE.

IL VAUT MIEUX LES LAISSER FAIRE.

"SI TU VEUX CONNAÎTRE QUELQU'UN, COMMENCE PAR TROUVER CE QUI LE MET HORS DE LUI."

C'EST MA TANTE MITO QUI DISAIT CETTE PHRASE QUE J'AIME BEAUCOUP.

CAPITAINE, LE VENT SOUFFLE ENCORE PLUS FORT QUE CE QUE NOUS AVIONS PRÉVU !!

ALLEZ !

VITE ! LE MÂT NE TIENDRA PAS !

FiUUUu

LE BATEAU VA CHAVIRER ! REPLIEZ LES VOILES !

CRAC

GOOOOO

JE N'AI NULLE INTENTION DE REVENIR SUR CE QUE J'AI DIT.

COMMENCE PAR T'EXCUSER, KURAPIKA !

LÉOLIO.

PRÉSENTE-MOI TES EXCUSES ET JE LES ACCEPTERAI !

CAPITAINE ! DITES-MOI CE QUE JE PEUX FAIRE !

BON ! ALORS, VIENS !

BONTÉ DIVINE ! SI L'UN D'EUX PASSE PAR-DESSUS BORD, IL SERA IMPOSSIBLE DE LE REPÊCHER !

JE T'AT-TENDS !!!

C'EST PARTI !

CATCH

JE ME SUIS COGNÉ LE NEZ.

AÏE...

ON T'RE-MERCIE, P'TIT !

BIEN JOUÉ, PETIT !

TIREZ !

GOOOOOO

C'EST BON ?! ATTRAPEZ LES CORDES !

REMONTEZ LE BLESSÉ !

HA   HA

GRR.

SI ON NE T'AVAIT PAS RETENU PAR LES PIEDS, C'ÉTAIT FINI POUR TOI ! LA NOYADE ASSURÉE !

T'ES MALADE, OU QUOI ?! LA MER EST DÉCHAÎNÉE, IL Y A DES COURANTS MARINS HYPER VIOLENTS ET TOI... TU... ENFIN, C'EST TRÈS DANGEREUX !!

ME FAIRE LA MORALE ALORS QU'ILS SE BATTAIENT EN DUEL JUSTE AVANT ÇA...

J'AI DÉCIDÉ DE VOUS EMMENER TOUS LES TROIS JUSQU'AU PORT LE PLUS PROCHE DU CENTRE D'EXAMEN !

JE SUIS DE TRÈS BONNE HUMEUR AUJOURD'HUI !

VIENS PLUTÔT AVEC MOI AFIN QUE JE T'APPRENNE ENCORE QUELQUES TRUCS SUR LE MANIEMENT DE LA BARRE !

OUBLIONS TOUT ÇA !

ET VOTRE TEST ?

MAIS ~?

OUAIS !!!

KURAPIKA

66

JE CROIS QUE JE VAIS FAIRE UN BOUT DE CHEMIN AVEC LUI.

PLUS QUE LES MOTS DU CAPITAINE

C'EST CE QUE FAIT CE GARCON QUI M'INTÉRESSE.

EH ! KURAPIKA...

!

FILU

ALLEZ, SALUT ! C'ÉTAIT UNE BRÈVE RENCONTRE MAIS BONNE ROUTE QUAND MÊME !

BON. JE VAIS ALLER PRENDRE LE BUS.

FINALEMENT, TU N'ES PAS D'UN TEMPÉRAMENT SI INDÉPENDANT QUE ÇA...

UN PIÈGE...? RUKKI M'A DIT QUE C'ÉTAIT ENCORE UN TRUC POUR ÉLIMINER DES PARTICIPANTS...

TºL PFF

EH, SALUT ! TU NE SAIS PAS ? EN FAIT, IL PARAIT QUE LE BUS DIRECT POUR ZABAN NE VA PAS À LA DESTINATION PRÉVUE.

IL EN MET DU TEMPS...

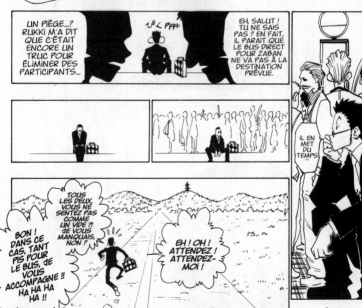

BON ! DANS CE CAS, TANT PIS POUR LE BUS, JE VOUS ACCOMPAGNE !! HA HA HA HA !!

TOUS LES DEUX, VOUS NE SENTEZ PAS COMME UN VIDE ?! JE VOUS MANQUAIS, NON ?

EH ! OH ! ATTENDEZ ! ATTENDEZ-MOI !

IL N'Y A PAS ÂME QUI VIVE ICI...

JE NE LE SENS PAS TROP, CET ENDROIT...

OUI.

RESTONS SUR NOS GARDES.

!!

POURTANT IL Y A PLEIN DE GENS...

PALPI-
TANT...

LE QUIZZ
PALPITANT
À DEUX
RÉPONSES
!!!

MAIS AVANT
D'Y PARVENIR,
VOUS DEVREZ
D'ABORD
RÉUSSIR À
SORTIR DE
CETTE VILLE.

VOUS
VOUS
DIRIGEZ
VERS
L'ARBRE
SUR LA
MONTAGNE,
N'EST-CE
PAS ?

LES AUTRES
CHEMINS QUI
POURRAIENT Y
MENER SONT
SEMBLABLES À
DES LABYRINTHES
SUR LESQUELS
RÈGNENT DE
TERRIBLES
MONSTRES
SANGUINAIRES.

CLAP   CLAP   CLAP

VOUS N'AUREZ QUE CINQ SECONDES DE RÉFLEXION.

JE VAIS DONC VOUS POSER UNE QUESTION.

ENCORE UNE ÉPREUVE...

JE VOIS.

HM...

CETTE ERREUR VOUS DISQUALIFIERA ET VOUS NE POURREZ PAS PRÉTENDRE CETTE ANNÉE AU TITRE DE HUNTER.

SI VOUS VOUS TROMPEZ...

EH ! UNE MINUTE ! VOUS VOULEZ DIRE : UNE QUESTION POUR TROIS PERSONNES ?

AUCUNE AUTRE RÉPONSE NE SERA VALIDÉE.

VOUS RÉPONDREZ PAR 1 OU 2 !!

ALLEZ ! DÉPÊCHEZ-VOUS !

L'HYPOTHÈSE QUE TU NOUS DISQUALIFIES ÉTANT BEAUCOUP PLUS RÉALISTE, CELA ME DONNE LA NAUSÉE.

C'EST PEU PROBABLE.

SI C'EST QUI RÉPOND ET QU'IL A TOUT FAUX, ALORS MOI AUSSI JE SERAI ÉLIMINÉ ?!

C'EST VRAI MAIS...

AH !

JE SUIS NUL EN QUIZZ

D'UN AUTRE CÔTÉ, SI L'UN DE NOUS TROIS CONNAÎT LA RÉPONSE, LES DEUX AUTRES EN PROFITENT, C'EST PLUTÔT COOL EN FAIT !

JE SUIS SÛR QU'ELLE PRÉFÈRE CETTE RÉPONSE-LÀ...

EN VÉRITÉ, J'AURAIS CHOISI MA PETITE AMIE MAIS...

1 !!

... VAS-Y, PASSE.

BLA BLA

POUR-QUOI ?

PAS NOTRE PETITE AMIE !

NOTRE MÈRE EST UNIQUE.

GRRR GRRR

QU'EST-CE QUE C'EST QUE CE QUIZZ TORDU ?!

VOUS VOUS FOUTEZ DE NOUS !!

SI VOUS
ABANDONNEZ,
VOUS ÊTES
DISQUALIFIÉS.

HM !
IL EST
TROP
TARD.

VOUS
N'AVEZ
PAS LA
TREMPE
D'UN
HUNTER...

...!!

QUE CE
SOIT CES
EXAMINATEURS
À DEUX FRANCS
OU ENCORE
CE TYPE QUI A
RÉUSSI, TOUT
ÇA C'EST DU
VENT ! MOI, ON
NE ME LA FAIT
PAS !

CE JEU,
C'EST VRAIMENT
N'IMPORTE QUOI !
QUI PEUT DIRE
SI LA RÉPONSE
EST EXACTE OU
INEXACTE AVEC
CE GENRE DE
QUESTIONS !!

JE ME
CASSE !
J'IRAI PAR
UN AUTRE
CHEMIN !

!!

ATTEN-
DEZ !

QUOI ?! NE
ME DIS PAS
QUE TU AS
L'INTENTION
DE TE
SOUMETTRE
À SON
QUIZZ ?!

LEOLIO !!

JE NE
VEUX PLUS
RIEN
ENTENDRE !

FLAT
ZUND

ON DIRAIT
QUE LE
GAMIN
AUX YEUX
DE CHAT A
COMPRIS.

BIEN, RÉPONDEZ : 1 SI VOUS ACCEPTEZ LE QUIZZ, 2 SI VOUS LE REFUSEZ.

À PARTIR DE MAINTENANT, TOUTE PAROLE INUTILE SERA SANCTIONNÉE PAR LA DISQUALIFI-CATION !!

TU DOIS COMPRENDRE, LÉOLIO !!

C'EST UNE ASTUCE TRÈS SIMPLE !!

1 !!

LEQUEL CHOISISSEZ-VOUS : 1 LA FILLE, 2 LE FILS ?

VOTRE FILS ET VOTRE FILLE ONT ÉTÉ KIDNAPPÉS ET VOUS NE POUVEZ EN RÉCUPÉRER QU'UN.

VOICI LA QUESTION.

GON !! TOI AUSSI, TU AS DÛ ENTENDRE !!!

ET DANS CE CAS, TU SAIS QUEL EST LE PIÈGE DE CE QUIZZ !!

ELLE SE FOUT DE NOUS !

ARGH

CETTE VIEILLE !!

5

2

VAS-Y COMPTE, MAMI !

CLAC

4

3

COMPTE LES DERNIERS INSTANTS QU'IL TE RESTE À VIVRE !

CRAC

1

C'EST FINiii !

VOILAAA !

KRAK

ET PUIS JE VAIS ME FAIRE AUSSI SES ACOLYTES AVEC LEUR AIR HAUTAIN ! APRÈS C'EST MOI QUI LEUR FERAI LA MORALE !

DEVENIR HUNTER ?! NON ! IL Y A MIEUX À FAIRE POUR NOTRE SOCIÉTÉ : LA DÉBARRASSER DE CES POSEURS D'ÉNIGMES À LA NOIX !

JE VAIS EMPORTER UN PETIT CADEAU QUE JE POURRAI OFFRIR QUAND J'ARRIVERAI À ZABAN : SA TÊTE !!

CALME-TOI, LEOLIO !!

POURQUOI M'AS-TU ARRÊTÉ ?!

TU PLAISANTES ?! JE SUIS TROP SUR LES NERFS !

PF !

ON A GAGNÉ ET TOI TU VEUX TOUT FICHE PAR TERRE AVEC TON BÂTON ?

ON A DONNÉ LA BONNE RÉPONSE, LÉOLIO !

QUOI ?

!?

VOILÀ LA BONNE RÉPONSE.

LE SILENCE !!!

PERSONNE NE LUI A DIT QU'IL AVAIT RÉPONDU CORRECTEMENT.

MAIS... MAIS TOUT À L'HEURE, L'AUTRE, IL A...

ON LUI A DIT DE PASSER MAIS...

ALORS QU'EN RÉALITÉ ON NE PEUT PAS RÉPONDRE.

LA SOLUTION, C'EST DONC LE SILENCE.

TU L'AS D'AILLEURS TOI-MÊME PARFAITEMENT DIT : "QUI PEUT DIRE SI LA RÉPONSE EST EXACTE OU INEXACTE AVEC CE GENRE DE QUESTIONS !!"

CE QUIZZ N'A PAS DE RÉPONSE EXACTE !! LA SEULE RÈGLE EST QU'ON DOIT RÉPONDRE PAR 1 OU 2.

EN FAIT, CE CHEMIN N'EST PAS LE BON.

J'AI ENTENDU SON CRI TOUT À L'HEURE... IL A CERTAINEMENT MALHEUREUSEMENT ÉTÉ DÉVORÉ PAR QUELQUE MONSTRE.

IL N'Y A QU'UNE ROUTE. APRÈS ENVIRON DEUX HEURES DE MARCHE, VOUS ATTEINDREZ LE SOMMET.

CRII

LE BON CHEMIN EST LÀ.

TOUT À FAIT.

...

...

OUI...

ACCROCHE-TOI ET TU DEVIENDRAS UN BON HUNTER.

C'EST PARCE QUE JE VOULAIS RENCONTRER DES GENS COMME TOI QUE J'AI ACCEPTÉ CE TRAVAIL.

POUR-QUOI ?

GRAND-MÈRE... JE VOUS DOIS DES EXCUSES...

JE NE VOIS VRAIMENT PAS !

NON !

PFFF

NON, MAIS C'EST BON !

TU PEUX ARRÊTER DE CHERCHER !

HA HA HA

MPF...

SI UN JOUR, RÉELLEMENT, JE NE POUVAIS SAUVER QU'UNE PERSONNE PARMI DEUX ÊTRES QUI ME SONT CHERS...

MAIS...

PARCE QUE LE QUIZZ EST FINI...

JE SAIS...

"POUR-QUOI"?

HEIN ? POUR-QUOI ?

QU'EST-CE QUE JE FERAIS ?

80

JE NE DIS PAS ÇA HISTOIRE D'AVOIR UNE RÉPONSE À LA QUESTION MAIS...

UN JOUR VIENDRA PEUT-ÊTRE...

OÙ JE SERAI OBLIGÉ DE FAIRE UN CHOIX DE CE GENRE.

IL FAUT TOUT ENVISAGER, MÊME LE PIRE...

PARCE QUE LA RÉALITÉ NE LAISSE PAS DE PLACE AUX SENTIMENTS...

...

C'EST BIEN LÀ LE VRAI SENS DE CE QUIZZ.

OUI...

SUR DES CHEMINS DIFFÉRENTS,

PRÉPAREZ-VOUS À MARCHER UN JOUR...

LÉOLIO

Attention : monstres !!

DEUX HEURES DE MARCHE...?

QU'EST-CE QU'IL FAIT NOIR ICI !

DEUX HEURES ? PFF ! IL Y A DEUX HEURES, ÇA FAISAIT DÉJÀ DEUX HEURES QU'ON MARCHAIT.

ÇA Y EST.

!

TU VIENS, LÉORIO ?!

J'AI FAIM !

JE VEUX ALLER AUX TOILETTES !

À CE RYTHME-LÀ, VOUS CROYEZ QU'ON FINIRA PAR Y ARRIVER ?

ENCORE UN PANNEAU : "ATTENTION : MONSTRES"...

SI VOUS LEUR CONVENEZ, ILS VOUS CONDUIRONT JUSQU'AU LIEU DES ÉPREUVES.

LE COUPLE QUI HABITE LA MAISON CONSTRUITE AU PIED DE CET ARBRE VOUS SERVIRA DE NAVIGATEUR.

N°004.LE RATON-RENARD MONSTRUEUX

NAVIGATEUR.

Le lieu où se déroulent les épreuves pour devenir hunter change chaque année, ceux qui ont connaissance de cet endroit et y guident les candidats sont appelés les navigateurs. Sans eux, il est impossible à quiconque de parvenir jusqu'au lieu des épreuves.

P'TIT GUIDE

Pour réduire le nombre des participants, on a non seulement parsemé d'embûches la route qui mène sur le lieu des épreuves mais encore l'a-t-on choisi particulièrement difficile à trouver.

FIUUUU

TOC TOC

SERIONS-NOUS LES SEULS À ÊTRE ARRIVÉS JUSQU'ICI ?

QUEL CALME...

ON EST ENFIN ARRIVÉS !

J'ENTRE !

HEIN !?

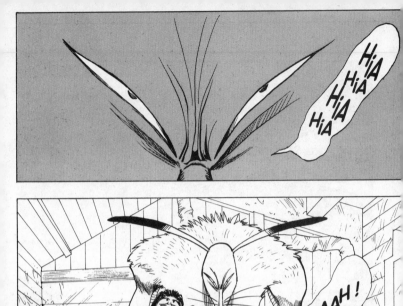

PAR
LÀ
!!

IL A REPÉRÉ EN UNE FRACTION DE SECONDE CE QUI ÉTAIT MOINS VISIBLE QU'UNE OMBRE...

MPF

MPF

DANS CETTE FORÊT SI DENSE ET SI SOMBRE...

!!...

HOP

IL EST BALÈZE, CE PETIT...

CATCH

TAP

HOP

ESSAYE DONC DE VENIR LA CHERCHER TOI-MÊME !! Hi Hi Hi !

LES ANIMAUX CAPABLES D'UTILISER LE LANGAGE DES HOMMES... C'EST ÇA QU'ON APPELLE DES MONSTRES !!

IL A PARLÉ AU RATON PARCE QU'IL SE DOUTAIT QU'IL COMPRENDRAIT ?!

TU AS ENTENDU, HEIN ?

EH ! C'EST SUPER ! IL PEUT PARLER !!!

MAIS PUISQU'IL COMPREND NOTRE LANGAGE, ON VA POUVOIR DISCUTER.

IL PEUT TRÈS BIEN PRENDRE UNE APPARENCE HUMAINE : MÉFIE-TOI !

ET LUI, IL A UNE CAPACITÉ DE MÉTAMORPHOSE : C'EST UN RATON-RENARD !

ATTENDS !!!

ZAT ZAT

JE NE T'OUBLIERAI PAS...

MON MARI...?

MOI, ÇA VA MAIS...

AVEZ-VOUS TRÈS MAL QUELQUE PART EN PARTICULIER ?

CONDUISEZ-MOI AUPRÈS DE LUI...?

JE VOUS EN PRIE...

NE VOUS INQUIÉTEZ PAS. UN DE MES COMPAGNONS EST RESTÉ AUPRÈS DE LUI.

EST-CE QU'IL VA BIEN ?

...!?

CE TATOU-AGE...

TU...

COMMENT AS-TU FAIT POUR COMPRENDRE QUE JE N'ÉTAIS PAS TON AMI...?

...

QUE TU SOIS LÉOLIO OU PAS, LÀ N'EST PAS LA QUESTION.

J'AI DIT À LÉOLIO DE S'OCCUPER DU BLESSÉ ET IL M'A RÉPONDU : "COMPTE SUR MOI"...

CLAC

SHAAA !!

C'EST TOUT.

LA RAISON POUR LAQUELLE JE T'AI FRAPPÉ, C'EST PARCE QUE TU ES VENU ICI, COMME UNE FLEUR, EN LAISSANT LE BLESSÉ TOUT SEUL.

...

RÉPONDS-MOI...

BON...

PFF

GRIFF

PARVENIR À ME FRAPPER COMME TU L'AS FAIT...

TU ES RAPIDE POUR UN GOSSE.

TU VAS PAYER LE PRIX FORT !!

POUR ÇA...

MAIS...

CLING

CLING

MAIS SI TU ME GÊNES ENCORE, JE TE PRENDRAI POUR ADVERSAIRE.

CELUI QUE J'AI SUIVI PUIS FRAPPÉ, CE N'EST PAS TOI !

TU ES UN COPAIN DE L'AUTRE ?

...

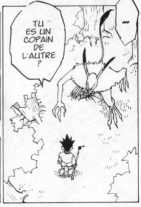

AS-TU FAIT POUR COMPRENDRE ÇA ?

COMMENT...

ET EN PLUS TA VOIX EST PLUS PUISSANTE ET AIGUË, NON ?

HEIN ?! MAIS VOUS NE VOUS RESSEMBLEZ PAS DU TOUT !

EH ! TÔCHAN ! RAMÈNE-TOI !

HAHA HAHA HA HA わっはっはっ HA

J'AI UN TRUC MARRANT À TE MONTRER !!!

TAP TAP

PFFF

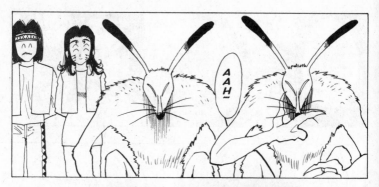

AAH~

AU-
CUNE...

TU VOIS
UNE
DIFFÉRENCE,
TOI...?

IL Y A BIEN
LONGTEMPS
QUE NOUS
N'AVIONS
RENCONTRÉ
QUELQU'UN QUI
PUISSE NOUS
DISTINGUER
MA FEMME ET
MOI...

ÇA
ME
FAIT
TRÈS
PLAISIR
...

OUI, PEUT-ÊTRE, MAIS
ÇA NE NOUS DIT PAS
QUI EST QUI...

EN FAIT,
C'EST VOUS,
M'SIEUR,
QUI AVEZ
FRAPPÉ
KURAPIKA.

ET
MOI
LEUR
FILS.

JE
SUIS
LEUR
FILLE.

SACHEZ
QUE MON
MARI ET
MOI-MÊME
SOMMES
VOS
NAVIGA-
TEURS.

BON...
VOUS
NOUS ÊTES
SYMPATHI-
QUES...

SANS UNE EXCELLENTE CONNAISSANCE DE L'HISTOIRE ANCIENNE, IL EST IMPOSSIBLE DE LES DÉCHIFFRER.

POUR CE QUI EST DE CES TATOUAGES, LES JEUNES FILLES ISSUES DU CLAN ANCESTRAL "SUMI" LES PORTENT EN TÉMOIGNAGE DE LA PROMESSE DE MARIAGE FAITE À UN DIEU, ET À PERSONNE D'AUTRE.

L'ÉRUDITE MLLE KURAPIKA NE S'Y EST PAS TROMPÉE ET A COMPRIS QUE NOUS N'ÉTIONS PAS MARI ET FEMME.

MAIS SUR- TOUT...

MAIS IL A SU ME DONNER LES SOINS D'URGENCE... PEUT-ÊTRE MIEUX QU'UN MÉDECIN.

J'AI PAS ASSURÉ...

HA HA...

M. LÉOLIO, LUI, N'Y A VU QUE DU FEU JUSQU'À LA FIN.

IL VEUT ME FOUTRE LA HONTE OU QUOI ?

LORSQUE JE JOUAIS LES INQUIETS EN DEMANDANT DES NOUVELLES DE "MA FEMME", IL EST RESTÉ CONFIANT ET SÛR DE LUI, LISANT DE PAROLES RASSURANTES.

BEN, JE VOUS AI UN PEU FRAPPÉ SANS RÉFLÉCHIR.

QUANT À GON, IL A FONCÉ TÊTE BAISSÉE, MONTRANT DES FACULTÉS DE DÉPLACEMENT ET D'OBSERVATION HORS DU COMMUN.

NOUS ALLONS VOUS CONDUIRE SUR LE LIEU DES ÉPREUVES.

FLAP

C'EST BON.

FLAP

Gon, Kurapika et Léolio eurent donc droit à une amusante petite balade dans les airs mais...

Ils n'étaient pas encore sur la ligne de départ...

HISOKA

Zaban.

C'EST CET IMMEUBLE, EN FACE.

QUARTIER TSUBASHI, 2ᵉᵐᵉ ARRONDISSEMENT, 5ᵉᵐᵉ BLOC, 10ᵉᵐᵉ BÂTIMENT...

Raton-renard déguisé.

WOUAH!

ALORS, C'EST LÀ ?

TADAN

MON PÈRE AUSSI EST PASSÉ PAR LÀ...

LES ÉPREUVES VONT COMMENCER !!

DES HOMMES COURAGEUX RÊVANT DE DEVENIR HUNTERS SE RETROUVENT ICI...

VENUS DES QUATRE COINS DU MONDE...

PAR ICI.

EH, OH... NON, PAS PAR LÀ...

MOI, JE NE VOIS QU'UN BANAL RESTAURANT.

PAROXYSME

EH, NAVIGATEUR, SI C'EST UNE BLAGUE, ELLE EST DE MAUVAIS GOÛT !

VOUS VOUDRIEZ NOUS FAIRE CROIRE QUE DES MILLIERS DE CANDIDATS ATTENDENT À L'INTÉRIEUR ?!

PERSONNE NE PEUT IMAGINER QUE LE LIEU OÙ SONT RASSEMBLÉS DES MILLIERS DE CANDIDATS À L'EXAMEN DE HUNTER SE TROUVE ICI.

JUSTEMENT...

UN STEAK !

QU'EST-CE QUE VOUS SERS ?

SHiii SHiii

...

SHiii SHiii

BONJOUR !!

LA CUISSON ?

TILT

108

DANS LA SALLE DU FOND, MESSIEURS, DAMES !

OK.

LENTE, À PETIT FEU.

CLAC

SHiii SHiii

...

?

1 SUR 10 000.

CLAC

JE ME FERAI UN PLAISIR D'ÊTRE VOTRE NAVIGATEUR L'AN PROCHAIN AUSSI.

ALLEZ. BON COURAGE, LES "PETITS".

C'EST LA PROPORTION DE CANDIDATS QUI ARRIVENT JUSQU'ICI.

VOUS VOUS EN ÊTES BIEN TIRÉS POUR DES NOUVEAUX.

HEIN ?

UN TOUS LES TROIS ANS.

COMME S'IL ÉTAIT SÛR QU'ON NE RÉUSSIRAIT PAS CETTE ANNÉE ! PFF !

IL S'EST MOQUÉ DE NOUS...

TU COMPRENDS MAINTENANT ?

C'EST LE NOMBRE DE CANDIDATS QUI RÉUSSISSENT L'EXAMEN DU PREMIER COUP.

OU ENCORE CEUX QUI ONT ÉTÉ RÉDUITS EN PIÈCES PAR DES VÉTÉRANS DU CONCOURS ET QUI NE POURRONT PLUS JAMAIS PASSER L'EXAMEN TANT ILS SONT MAL EN POINT.

IL Y A CEUX QUI CRAQUENT PSYCHOLOGIQUEMENT DEVANT LA DIFFICULTÉ DES ÉPREUVES...

MAIS...

POUR DEVENIR HUNTERS ?

POURQUOI TANT DE GENS SONT-ILS PRÊTS À TOUT...

HM...

MAIS ?! TU NE COMPRENDS VRAIMENT RIEN OU TU LE FAIS EXPRÈS ?

HUNTER, C'EST...

LE TRUC QUI RAPPORTE LE PLUS...

LE TRUC LE PLUS NOBLE...

AU MONDE !!!

FAYOT !

CUPIDE !

LE VÉRITABLE RÔLE D'UN HUNTER EST DE PROTÉGER LES HOMMES ET DE MAINTENIR L'ÉQUILIBRE DE LA NATURE ! CAPTURER DES ANIMAUX OU ENCORE PÊCHER DES TRÉSORS, ÇA C'EST LE RÔLE DES AMATEURS !! LES HUNTERS PROFESSIONNELS, EUX, ONT POUR PRINCIPALE PRÉOCCUPATION DE PRÉSERVER LES OBJETS PRÉCIEUX DU PATRIMOINE CULTUREL, OU ENCORE LES ESPÈCES RARES D'ANIMAUX OU DE PLANTES QU'ILS ONT PU DÉCOUVRIR !! CE N'EST PAS TOUT : ILS DOIVENT ÉGALEMENT ARRÊTER LES CRIMINELS RECHERCHÉS ET LES HUNTERS EN SITUATION IRRÉGULIÈRE OU AGISSANT MAL !! UN MENTAL D'ENFER, UNE SANTÉ D'ACIER ET DES CONNAISSANCES EN BÉTON : TOUT ÇA EST INDISPENSABLE POUR FAIRE UN BON HUNTER ! C'EST UN TRAVAIL DIFFICILE MAIS TRÈS GRATIFIANT !

Forme de licence supposée.

QUAND TU DEVIENS OFFICIEL- LEMENT HUNTER, TU REÇOIS LA LICENCE !!

SUR LES 100 PERSONNES LES PLUS RICHES DU MONDE, IL Y A 60 HUNTERS ! CETTE LICENCE EST UN SYMBOLE DE GLOIRE ET DE RICHESSE ! RIEN QU'EN LA REVENDANT, TU AURAIS SUFFISAMMENT D'ARGENT POUR VIVRE SEPT VIES DANS LE LUXE !

AVEC ÇA, TU PEUX CIRCULER LIBREMENT DANS PRESQUE TOUS LES PAYS !! EN PLUS, TU Y AS ACCÈS AUX SERVICES PUBLICS GRATUITE- MENT !!

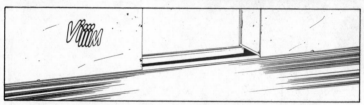

ARGH...

FIUUU...

ÇA N'A RIEN DE COMMUN AVEC LES HUNTERS QU'ON A CROISÉS EN VILLE ET SUR LE PORT !

CE N'EST PLUS DU TOUT LA MÊME IMPRESSION...

IL N'Y A QUE DES EXPERTS !!

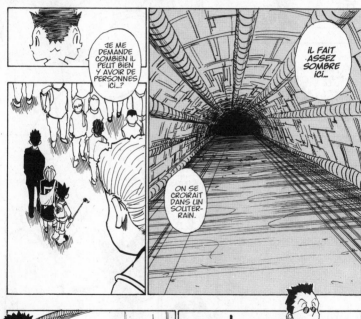

JE ME DEMANDE COMBIEN IL PEUT BIEN Y AVOIR DE PERSONNES ICI...?

IL FAIT ASSEZ SOMBRE ICI...

ON SE CROIRAIT DANS UN SOUTER-RAIN.

AVEC VOUS, ÇA FAIT 405.

VOILÀ VOTRE NUMÉRO.

EN-CHAN-TÉ !

JE M'APPELLE TOMPA.

SALUT !

TAC

COM-MENT TU LE SAIS ?

VOUS ÊTES NOUVEAUX, N'EST-CE PAS ?

MERCI !

SI VOUS AVEZ BESOIN DE SAVOIR QUELQUE CHOSE, DEMANDEZ-LE-MOI !

HÉ HÉ ! C'EST ÇA QU'ON APPELLE UN VÉTÉRAN !

J'AI PASSÉ LE TEST POUR LA PREMIÈRE FOIS QUAND J'AVAIS DIX ANS. C'EST MA 35ÈME PARTICI-PATION.

C'EST FACILE !

OUI.

S'IL N'A TOUJOURS PAS RÉUSSI.

MOI, JE NE M'EN VANTERAIS PAS TROP À SA PLACE...

35ÈME ?!

BON ! JE VAIS FAIRE LES PRÉSENTATIONS !

ÉVIDEM-MENT !

ALORS TU CONNAIS TOUT LE MONDE ICI, NON ?

NON SEULEMENT IL A UNE GRANDE FORCE PHYSIQUE MAIS EN PLUS, IL EST TRÈS MALIN.

N°255 : WRESTLER TORDER.

IL EST PLUS TENACE QUE N'IMPORTE QUI. ALORS MIEUX VAUT NE PAS L'AVOIR COMME ENNEMI.

N°103 : BARBON, LE CHARMEUR DE SERPENTS !

LES ARTS MARTIAUX N'ONT PLUS DE SECRETS POUR LUI.

N°76 : CHERRY, LE SOLDAT.

UN TRIO HORS PAIR QUI DONNE TOUJOURS DE BONS RÉSULTATS.

N°197, 198 ET 199 : LES FRÈRES AMORI.

AA AAAA AAH !

UN MAÎTRE DANS LA LIQUIDATION À LA SARBACANE ET À LA MATRAQUE DE TOUT ÊTRE VIVANT.

N°384 : GERETA, LE CHASSEUR.

ILS SONT TRÈS FORTS MAIS AUCUN N'A ENCORE JAMAIS RÉUSSI À ALLER JUSQU'AU BOUT.

VOILÀ POUR LES HABITUÉS DES LIEUX.

N°44 : HISOKA, LE MAGICIEN.

♪

L'ANNÉE DERNIÈRE, TOUT LE MONDE DISAIT QUE CE SERAIT LUI LE VAINQUEUR MAIS IL A QUASIMENT TUÉ UN DES JUGES PARCE QU'IL NE LUI PLAISAIT PAS : IL A ÉTÉ DISQUALIFIÉ.

CETTE ANNÉE ENCORE, IL Y A DES TYPES DONT IL FAUT SE MÉFIER SÉRIEUSEMENT.

CE SONT LES JUGES QUI CHOISISSENT LIBREMENT LE CONTENU DES TESTS.

BIEN SÛR ! LES JUGES CHANGENT CHAQUE ANNÉE.

ET... ET... CETTE ANNÉE, ON LE LAISSE REPASSER LE TEST...?!

L'AN DERNIER, EN PLUS DU JUGE, IL A MUTILÉ 20 PARTICIPANTS QUE TU N'AS AUCUNE CHANCE DE REVOIR CETTE ANNÉE.

AUTANT QUE POSSIBLE, ÉVITE DE T'APPROCHER TROP PRÈS DE LUI...

ILS ONT TOUT POUVOIR : SI UN JUGE DÉCIDE QUE C'EST "BON"...

PEU IMPORTE QUE LE VAINQUEUR SOIT UN DÉMON OU QUOI QUE CE SOIT D'AUTRE...

TOMPA, LE CASSEUR DE "NOUVEAUX" !

ALORS QUE C'EST DE TOI QU'IL DEVRAIT LE PLUS SE MÉFIER...

T'AS RAISON... PFF !

MAIS NE T'INQUIÈTE PAS ! JE SERAI LÀ POUR T'EXPLIQUER TOUT CE QUI EST NÉCESSAIRE !

IL N'EST PAS LE SEUL DONT IL FAUT SE MÉFIER.

MER-CI !

CLING CLONG

AH ! AU FAIT...

TADAN

GLOUGLOU !!

MERCI !!

BUVONS POUR NOUS SOUHAITER UNE BONNE CONTINUATION DANS LES ÉPREUVES !

PSHIT

POUR FÊTER NOTRE RENCONTRE, JE VOUS OFFRE À BOIRE ?

POUR MOI, VOUS ÊTES DÉJÀ TOUS LES TROIS HORS COMPÉTITION !!!

UNE SEULE GORGÉE, ET JE LEUR GARANTIS TROIS JOURS BLOQUÉS DANS LES TOILETTES !!

HÉHÉHÉ... J'AI MIS UN LAXATIF SUPER PUISSANT DANS LEUR JUS !!

BOM BOM

AAARGH

BURP

TU CROIS ? ÇA M'ÉTONNE...

COMMENT ?!

EH ! TOMPA, TON JUS A UN DRÔLE DE GOÛT ! À MON AVIS, IL EST PÉRIMÉ !!

GLOUPS

AAH.

COMMENT A-T-IL PU SENTIR UN GOÛT PARTICULIER ?!

CE N'EST PAS POSSIBLE... CE LAXATIF N'A QUASIMENT AUCUN GOÛT ET AUCUNE ODEUR...!

MAIS NON ! TU N'AS PAS À T'EXCUSER.

JE SUIS SINCÈREMENT DÉSOLÉ !!

JE ME SUIS SOUVENT NOURRI DE PLANTES ET DE BOURGEONS DANS LA MONTAGNE. ALORS JE N'AI PAS DE MAL À DÉTECTER UN GOÛT BIZARRE.

MAIS C'EST UNE CHANCE QUE J'EN AIE BU EN PREMIER.

À EUX NON PLUS, JE N'AURAI PAS RÉUSSI À LEUR FAIRE PRENDRE UN LAXATIF...

OUI ! TANT MIEUX !

ZUT !! JE CROYAIS AVOIR TROUVÉ UNE BONNE POIRE ET JE TOMBE SUR UN ENFANT SAUVAGE.

N°294 : HANZO.

ZZZZ

ILS SE PRENNENT POUR DES VÉTÉRANS OU QUOI ?

BON SANG ! MAIS QU'EST-CE QUI SE PASSE CETTE ANNÉE AVEC LES NOUVEAUX ?!

BLA BLA BLA

JE L'AI ABORDÉ ET IL S'EST MIS À ME PARLER NERVEUSEMENT.

LUI, JE NE VAIS PAS AVOIR DE MAL...

TIENS ! EN PARLANT D'ENNUI, LA DERNIÈRE FOIS...

AH...

JE SUIS CONTENT QUE TU SOIS VENU ME PARLER ! JE DÉTESTE L'ENNUI !

SI JE VEUX DEVENIR HUNTER, C'EST POUR RETROUVER LE PARCHEMIN DES OMBRES : "LE LIVRE DES ERMITES" !

ON RACONTE QU'IL SERAIT DANS UN PAYS OÙ LES GENS ORDINAIRES NE PEUVENT ALLER.

ÇA RESTE ENTRE NOUS, MAIS EN FAIT JE SUIS UN NINJA !

DÉSOLÉ.

C'EST UN PRINCIPE DE NINJA : NE JAMAIS ÉTANCHER SA SOIF GRÂCE À UNE BOISSON OFFERTE PAR QUELQU'UN.

!!

POUR FÊTER NOTRE RENCONTRE, JE T'OFFRE À BOIRE ?

DÉCIDÉMENT, PERSONNE NE ME FAIT CONFIAN-CE...

C'EST L'ŒIL D'UN PRO.

ZUT... AH...

M. TOMPA... OUI...

ATTENDEZ UN INSTANT...

TAC TAC TAC

IL Y A EU AUSSI LE N°187 : NICOLAS.

MAIS VOUS AVEZ LA PREMIÈRE PLACE EN CE QUI CONCERNE LES PARTICIPATIONS SUCCESSIVES : 30 FOIS DE SUITE ! BELLE PERFORMANCE !

AH ! VOILÀ ! C'EST VOTRE 35ÈME PARTICIPATION, CE QUI VOUS MET EN DEUXIÈME POSITION DANS LES RECORDS DU NOMBRE DE PARTICIPATIONS.

N'EST-CE PAS, M. TOMPA, LE CASSEUR DE NOUVEAUX ?

JE SUIS DÉSOLÉ MAIS JE NE VEUX PAS DE VOTRE JUS.

VOS PERFORMANCES SONT HONORABLES POUR CE QUI EST DE L'EXAMEN LUI-MÊME MAIS IL SEMBLE QUE SI VOUS N'AVEZ JAMAIS GAGNÉ, C'EST PARCE QUE VOTRE "AUTRE OBJECTIF" VOUS PASSIONNE UN PEU TROP...

KA TA KA TA KA TA KA TA KA TA KA TA KA TA KA TA KA TA KA TA

LE PROBLÈME AVEC LUI, C'EST QU'IL EST IMPOSSIBLE DE LUI PARLER.

PAREIL POUR LE N°301.

301

AVEC LE CONTENU D'UNE CANETTE, IL DEVRAIT POURTANT AVOIR SON COMPTE...

C'EST PAS NORMAL.

PFFFF

C'EST TROP BON !

GLOUPS GLOUPS GLOUPS

HEIN ?

T'ES INQUIET ?

ALORS AVEC CINQ, IL DEVRAIT SE VIDER ET MOURIR DE DÉSHYDRA-TATION. MAIS...!

PARCE QUE JE ME SUIS ENTRAÎNÉ...

MOI, JE N'AI AUCUN PRO-BLÈME.

QU'IMPORTE ! LES PETITS NOUVEAUX DE CETTE ANNÉE...

UN POISON...?

C'EST PAS UN POISON QUI ME FERA MOURIR.

IL NE SAIT MÊME PAS QUEL PRODUIT J'AI PU METTRE DEDANS...

MAIS IL LE BOIT QUAND MÊME SANS PROBLÈME !?

FINIRONT PAR TOMBER.

AVEC LE RESTE...

HÉ HÉ...

C'EST UN EXAMEN EXTRÊMEMENT DIFFICILE. ON PEUT PARFOIS MANQUER DE CHANCE, OU TOUT SIMPLEMENT DE FORCE, ET PAR CONSÉQUENT SE BLESSER OU TOUT SIMPLEMENT MOURIR.

QUIK

QUIK QUIK

BIEN. NOUS ALLONS COMMENCER PAR UNE PETITE VÉRIFICA-TION.

QU

ZAT ZAT

MAINTE-NANT, JE VOUS PRIE DE ME SUIVRE.

CE SONT DES CHOSES QUI ARRIVENT.

IL ARRIVE AUSSI SOUVENT, COMME VOUS L'AVEZ VU TOUT À L'HEURE, QU'ON SE BLESSE IRRÉMÉDIABLEMENT DANS UN ACCROCHAGE AVEC UN CAMARADE.

BROUHAHA BROUHAHA

ZAT

ZAT

ZAT

ZAT

134

ZAT ZAT ? ? ZAT

TAP TAP (MPF)

ILS SONT TOUS SI PRESSÉS D'ABANDON-NER ?

QU'EST-CE QUI SE PASSE, LÀ ?

CELUI QUI SONT EN TÊTE ONT COMMENCÉ À COURIR !!

J'EN ÉTAIS SÛRE ! LA CADENCE S'ACCÉLÈRE PROGRES-SIVEMENT !

DON DON ドドド DON

JE DOIS PAR CONSÉQUENT VOUS CONDUIRE SUR LES LIEUX DU DEUXIÈME TOUR.

J'AVAIS OMIS UN DÉTAIL : JE ME NOMME SATOTSU ET JE SUIS CHARGÉ DU PREMIER TOUR.

LE PREMIER TOUR A DÉJÀ COMMENCÉ.

LE DEUXIÈME TOUR...? VOUS VOULEZ DIRE QUE LE PREMIER...

?

?

VOUS AUREZ PASSÉ LE PREMIER.

SI VOUS PARVENEZ À ME SUIVRE JUSQU'À L'ENDROIT OÙ SE TIENDRA LE DEUXIÈME TOUR...

ドド ドド DODODODODO ド ド !!

VOUS DEVEZ VOUS CONTENTER DE ME SUIVRE.

JE NE PEUX VOUS DIRE OÙ ET QUAND NOUS ARRIVERONS.

136

OÙ QU'IL AILLE, JE NE LE LÂCHERAI PAS.

ÇA ME PLAÎT !

UN TEST D'ENDU-RANCE...?

IL EST BIZARRE, CE TEST...

JE VOIS...

C'EST POUR METTRE À L'ÉPREUVE LE MENTAL DE CHACUN.

COURIR SANS SAVOIR JUSQU'OÙ ET JUSQU'À QUAND... C'EST PLUTÔT USANT PSYCHO-LOGIQUEMENT.

FIUU

!!

PARCE QUE C'EST UN TEST D'ENDU-RANCE !

"POUR-QUOI" ...?

POUR-QUOI ?

ÇA, C'EST DE LA TRICHE !!!

EH ! P'TIT !! T'AS PAS LE DROIT !

TAK

GRRR

LÀ, TU ES SURTOUT BRUYANT, ALORS...

TU FERAIS MIEUX D'ÉCONO-MISER TON ÉNERGIE.

LE PRINCIPE DU TEST EST QUE JUSTEMENT IL N'Y A PAS DE PRINCIPE.

GON !! T'ES DANS QUEL CAMP, TOI ?!

MAIS NON ! IL NOUS A JUSTE DEMANDÉ DE LE SUIVRE, NON ?

137

138

ARGH ! GON, C'EST FINI ! JE NE TE PARLE PLUS !

AH BON ?!

PRENONS NOS DISTAN-CES...

JE ME DEMANDE COMBIEN ONT DÉJÀ ABANDONNÉ À L'ARRIÈRE DU TROUPEAU...?

TAP TAP TAP

SOIT ENVIRON 40 KM, QUE NOUS COURONS.

ÇA DOIT FAIRE 3 HEURES...

MAIS SURTOUT COMBIEN DE TEMPS ALLONS-NOUS ENCORE COURIR ?!

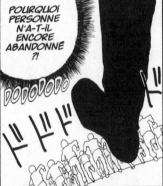

141

SLAP

CATCH

FIUT

SI TU ME PRÊTES TON SKATE !

TU ME FERAS ESSAYER APRÈS ?

OH !

CA ASSURE, TON TRUC !

Abandon : 0

Plus de 60 km parcourus.

KIRUA

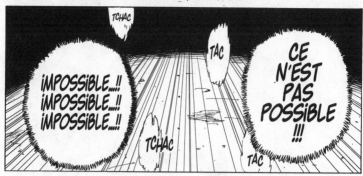

TCHAC
TAC
TCHAC
TAC

IMPOSSIBLE...!!
IMPOSSIBLE...!!
IMPOSSIBLE...!!

CE N'EST PAS POSSIBLE !!!

MPF
MPF
MPF
MPF
MPF
MPF
MPF
MPF
MP
MPF

ICI, PERSONNE NE M'ARRIVE À LA CHEVILLE.

MOI, J'ÉCHOUERAIS...?! C'EST IMPOSSIBLE !!

ÉCHOUÉ ? IMBÉCILE ! RATÉ (RIRES) ! RECALÉ !? STUPIDE ! RATÉ...

NON !! JE NE PEUX PAS LE CROIRE !! ÇA NE PEUT PAS M'ARRIVER, À MOI !! ÉCHOUÉ ? NON ! UN PERDANT ? UN RATÉ ?!

DES ÉTUDES AU SPORT, JE SUIS LE MEILLEUR !! TOUS LES AUTRES NE SONT RIEN À CÔTÉ DE MOI !! JE DEVAIS JUSTE ME SERVIR D'EUX ET LES JETER ENSUITE COMME DES VIEILLES CHAUSSETTES !!

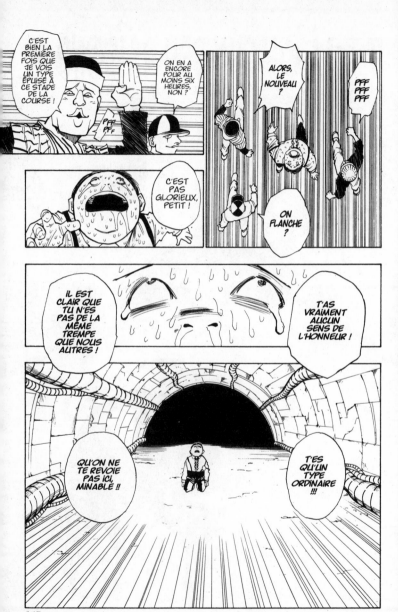

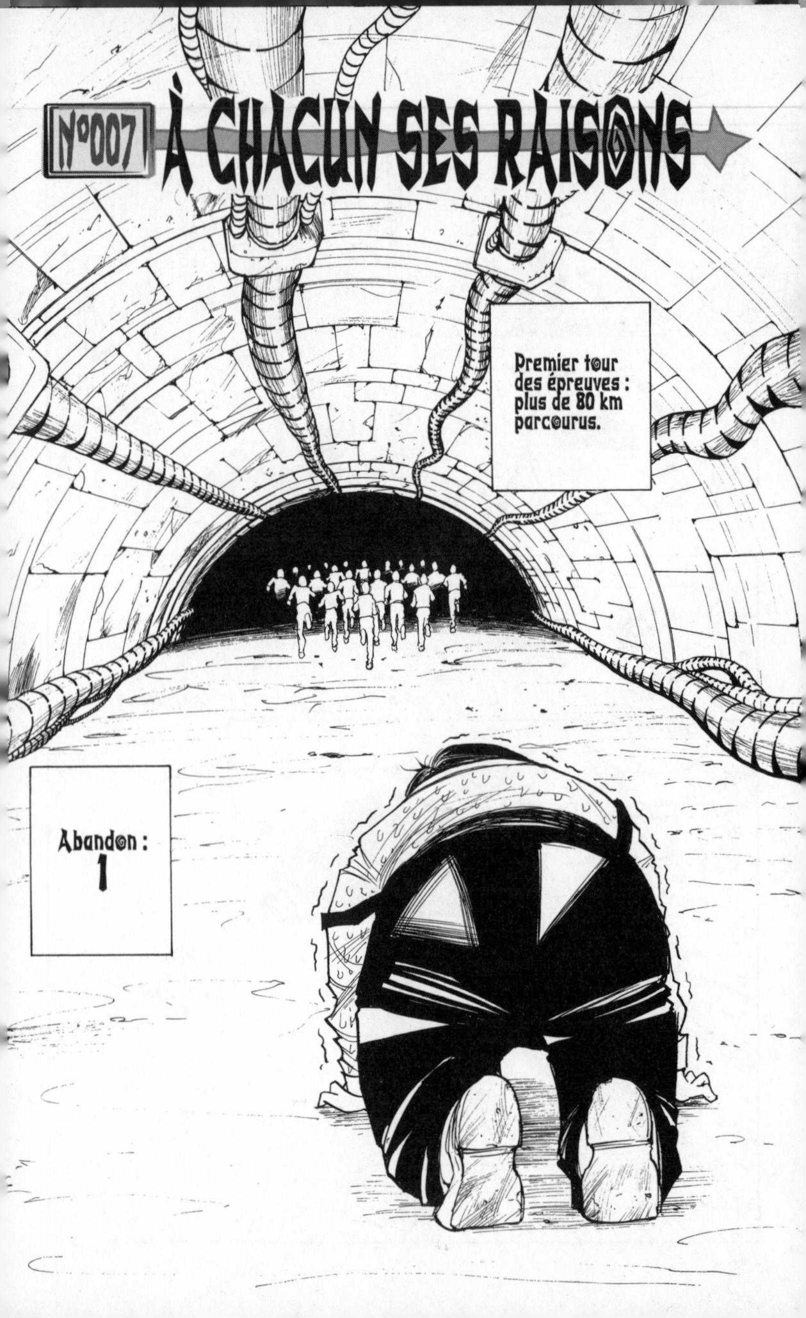

N°007 À CHACUN SES RAISONS
Premier tour des épreuves : plus de 80 km parcourus.
Abandon : 1

LE MENSONGE PEUT PARFOIS FAIRE DES RAVAGES CHEZ CERTAINS HOMMES.

IL AVAIT L'AIR SOLIDE POUR UN NOUVEAU MAIS...

LUI, ON N'EST PAS PRÈS DE LE REVOIR SE PRÉSENTER À L'EXAMEN.

PFF

JOLI TRAVAIL, MERCI !

HÉ HÉ...

C'EST MA RAISON D'ÊTRE...

TOMPA, TU ES VRAIMENT UN MAÎTRE DANS L'ART DE DÉCELER LES FAIBLESSES DE TES ADVERSAIRES !

NOUS N'AVONS PLUS DE TEMPS À PERDRE.

FINALEMENT, IL Y EN A EU UN... LE NIVEAU EST ASSEZ ÉLEVÉ CETTE ANNÉE.

RE-GAR-DEZ !

!!

DODODO

TAP-TAP-TAP

C'EST UNE PLAISANTERIE ...?

EH, OH !

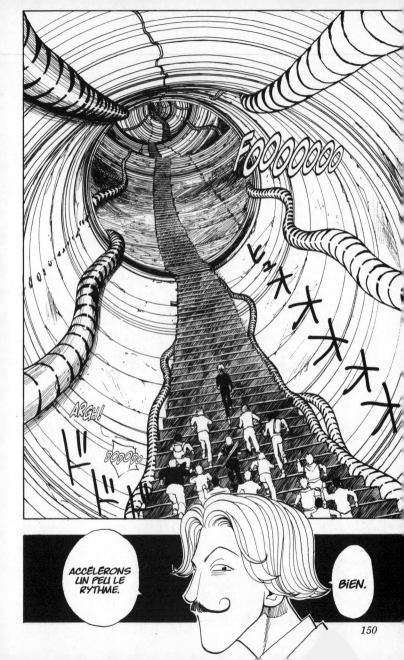

AARGH !

TAP TAP

!!

EN GÉNÉRAL, DANS DE TELLES CONDITIONS, ON NE PEUT QUE MARCHER, MAIS LUI GRIMPE LES MARCHES DEUX PAR DEUX !!

QUEL ENFOIRÉ !!

DODODODO

LÀ, ÇA VA ÊTRE CRITIQUE.

MFF

MFF

TAP TAP TAP

MPF MPF

MPF MPF

ÇA VA, LÉOLIO !?

C'EST PAS LA SUPER CLASSE MAIS PEU IMPORTE : JE SAIS QUE JE PEUX Y ARRIVER !!

COMME TU VOIS, ÇA VA TRÈS BIEN !!

LÀ, IL Y A UNE LEÇON À RETENIR...

SLAP

HM

KURAPIKA !! JE TE CONSEILLE DE M'IGNORER SI TU NE VEUX PAS TE TAPER LA HONTE !!

AAAAAH

MÊME SI JE DOIS FINIR EN COURANT À POIL !!

DODODO DODO

DISCUTER, C'EST CONSOMMER DE L'ÉNERGIE.

LÉOLIO, JE PEUX TE DEMANDER UN TRUC ?

EST-CE VRAIMENT POUR L'ARGENT QUE TU VEUX DEVENIR HUNTER ?

TAP TAP TAP

ON NE SE CONNAÎT QUE DEPUIS QUELQUES JOURS MAIS J'AI AU MOINS COMPRIS ÇA.

JE SUIS SÛRE QUE NON.

J'AI VU BEAUCOUP DE PERSONNES QUI NE VIVAIENT QUE POUR L'ARGENT, ET TU N'ES PAS DE CELLES-LÀ.

MAIS JE NE PENSE PAS QUE TU AS UN MAUVAIS FOND.

PFFF

...

TU N'AS CERTES PAS UNE ATTITUDE TRÈS RIGOUREUSE ET TU N'ES PAS SPÉCIALEMENT INTELLIGENT MAIS...

TOI, T'ES DU GENRE "LOGIQUE" !

PFF !

DODODODODO

?

LES YEUX ÉCARLATES...

C'EST LA RAISON POUR LAQUELLE LE CLAN KURUTA A ÉTÉ POUR-CHASSÉ.

LORSQUE NOUS SOMMES TRAVERSÉS PAR UN SENTIMENT VIOLENT, NOS PUPILLES DEVIENNENT ÉCARLATES COMME SI ELLES S'ÉTAIENT ENFLAMMÉES.

LES YEUX ÉCARLATES SONT LE SIGNE DISTINCTIF DE LA LIGNÉE KURUTA.

• • •

C'EST POUR ÇA QUE TON CLAN A ÉTÉ DÉCIMÉ PAR LA BRIGADE FANTÔME ?

SI ON MEURT DANS CET ÉTAT PRÉCIS, NOS PUPILLES NE REVIENNENT PAS À LEUR ÉTAT NORMAL ET RESTENT DE CETTE COULEUR.

AUJOURD'HUI, LA SEULE CHOSE QU'ON PUISSE LIRE DANS LA NOIRCEUR DE LEURS YEUX S'APPELLE LA VENGEANCE...

LA SEULE CHOSE QUI MANQUAIT SUR LES CORPS DE MES FRÈRES QUAND ON LES A RETROUVÉS, C'EST LEURS YEUX...

ON DIT QUE CETTE COULEUR, DE PAR SON ÉCLAT, EST UNE DES 7 PLUS BELLES QUI EXISTENT DANS LE MONDE.

154

ET JE RÉCUPÉRERAI LES YEUX DE CHACUN DE MES FRÈRES ET COMPAGNONS !!!

QUOI QU'IL ARRIVE, JE CAPTURERAI LA BRIGADE FANTÔME !!

MAIS ÇA NE L'EST PAS POUR UN HUNTER.

SI JE CHOISIS D'ÊTRE HUNTER SOUS CONTRAT, JE DEVIENDRAI PARTICULIÈREMENT RICHE ET J'AURAI ACCÈS À BEAUCOUP DE CHOSES.

LES CLIENTS SONT TOUS DES HOMMES TRÈS PUISSANTS, DES MILLIARDAIRES. IL EST IMPOSSIBLE POUR UNE PERSONNE NORMALE D'APPROCHER CE MILIEU.

MALHEU- REUSEMENT, ILS SONT CERTAINE- MENT DÉJÀ EN VENTE SUR LE MARCHÉ NOIR.

EN COMPARAISON DES SOUFFRANCES DE MES COMPAGNONS ?

'QUE VAUT MA DIGNITÉ ...

TU ES PRÊTE À VENDRE TON ÂME ET PERDRE TA DIGNITÉ...?

...

SOUS CONTRAT...? JE CROYAIS POURTANT QUE C'ÉTAIT PRÉCISÉMENT LE TYPE DE HUNTER QUE TU DÉTESTAIS LE PLUS...?

J'AI BEAU DIRE, MON BUT, C'EST L'ARGENT...

JE N'AI AUCUNE RAISON AUSSI NOBLE QUE LA TIENNE À TE DONNER...

DODODO

?

...

J'SUIS DÉSOLÉ...

LES CHOSES, BIEN SÛR ! MAIS LES RÊVES AUSSI !

SI !

NE ME DIS PAS QUE TU PENSES VRAIMENT QU'ON PEUT TOUT ACHETER SUR CETTE TERRE ?!

TU DIS N'IMPORTE QUOI !!

TOUT S'ACHÈTE !!!

MÊME LA VIE DES HOMMES DÉPEND DE L'ARGENT !

03

404

DDODODODODO

SI J'AVAIS EU DE L'ARGENT, MON AMI NE SERAIT PAS MORT !

POURQUOI, C'EST LA VÉRITÉ !

ARRÊTE, LÉOLIO ! RETIRE CE QUE TU AS DIT !!

...

D'UNE MALADIE ...?

PFFF

!!

MOI, JE SUIS UN PEU NAÏF, ALORS JE ME SUIS DIT QUE J'ALLAIS DEVENIR MÉDECIN.

CE N'ÉTAIT PAS UNE MALADIE INCURABLE !!

ET COMME ÇA J'AURAIS PU DIRE AUX PARENTS DE TOUS CES ENFANTS QUI SONT DANS LA MÊME SITUATION QUE L'ÉTAIT MON AMI : "JE NE VOUS DEMANDE PAS D'ARGENT". ÇA, C'ÉTAIT MON RÊVE.

MAIS POUR L'OPÉRER, IL FALLAIT TROP D'ARGENT !

EN FAIT, NE PAS AVANCER À PLEIN RÉGIME, C'EST PLUS FATIGANT.

OUAIS ! IL FAUT DIRE QUE LA CADENCE N'EST PAS TRÈS RAPIDE.

JE NE M'ÉTAIS PAS RENDU COMPTE QUE NOUS ÉTIONS EN TÊTE DE LA FOULE.

C'EST PAS DRÔLE.

CET EXAMEN DE HUNTER A L'AIR TRÈS ACCESSIBLE EN RÉALITÉ...

J'AVAIS ENTENDU DIRE QUE C'ÉTAIT UN TRUC SUPER DUR, ET DONC ÇA M'AVAIT PARU INTÉRESSANT.

JE NE TIENS PAS PARTICULIÈREMENT À DEVENIR HUNTER...

POURQUOI TU VEUX DEVENIR HUNTER, KIRUA ?

MAIS JE SUIS DÉÇU.

C'EST QUEL GENRE DE HUNTER, TON PÈRE ?

MON PÈRE EST HUNTER !

ET TOI ?

J'EN SAIS RIEN !

MON BUT, C'EST DE DEVENIR UN HUNTER COMME LUI !

MAIS IL Y A QUELQUES ANNÉES, J'AI FAIT LA CONNAISSANCE DE QUELQU'UN QUI S'APPELLE KAITO ET QUI M'A APPRIS PLEIN DE CHOSES CONCERNANT MON PÈRE.

C'EST MA TANTE QUI M'A ÉLEVÉ ET JE N'AI JAMAIS VU MON PÈRE QU'EN PHOTOS.

AH BON ?

HAHAHAHA

CA, C'EST PAS BANAL !

TRIPLES HUNTERS : C'EST UN TITRE SPÉCIAL DE HUNTER DE GRANDE CLASSE, ACCORDÉ À TOUT AU PLUS DIX PERSONNES SUR TERRE. CONDITION INDISPENSABLE : AVOIR FAIT DES DÉCOUVERTES HISTORIQUES, DES GRANDES ŒUVRES POUR L'HUMANITÉ.

ON DIT MÊME QU'IL N'A RIEN À ENVIER AUX "TRIPLE HUNTER" À QUI ON LE COMPARE SOUVENT. LUI, IL S'EN FICHE ET NE DEMANDE RIEN À PERSONNE.

LA DÉCOUVERTE DES RUINES DE LA CIVILISATION LULLIKA, LA MISE EN PLACE DE LA REPRODUCTION DES LOUPS À DEUX TÊTES, LES FOUILLES DANS LES MINES DU KONGO, LE DÉMANTÈLEMENT DE LA BANDE DE KLURT... LE CHAMP D'ACTION DE MON PÈRE N'A PAS DE LIMITES.

ALORS DU COUP, JE ME SUIS DIT...

MAIS KAITO AVAIT L'AIR SI HEUREUX ET SI FIER DE POUVOIR EN PARLER.

JE SAIS PAS.

ET DONC ? ÇA, C'EST UN TRUC SUPER ?

QUE J'AVAIS ENVIE DE DEVENIR UN HUNTER COMME MON PÈRE...

REGAR- DEZ !

LA SORTIE !!!

LE MARÉCAGE DE "NUMELLE" SURNOMMÉ "LE NID DES ESCROCS".

SUIVEZ-MOI ET FAITES BIEN ATTENTION !!!

SONT POUR LA PLUPART AMATEURS D'HUMAINS AUX HEURES DES REPAS. CE SONT DES RAPACES, JOUEURS DE SURCROÎT...

GLOU GLOU

GRUUUU

LES ANIMAUX RARES QUE VOUS NE TROUVEREZ QUE DANS CE MARÉCAGE...

HIAH   HIAH

SPECIAL THANKS
NAOKO TAKEUCHI
MERCI DE M'AVOIR
AIDE POUR LA MISE
EN COULEURS.

CETTE PARTIE
SUPÉRIEURE DU
PERSONNAGE N'EST
PAS TROP MAL.

"NAOKO TAKEUCHI.

166

FAITES DE VOTRE MIEUX POUR ME SUIVRE.

VEILLEZ BIEN À NE PAS VOUS FAIRE SURPRENDRE.

UN HOMME AVERTI EN VAUT DEUX : JE NE VOIS PAS COMMENT ON POURRAIT SE FAIRE SURPRENDRE MAINTENANT !

MPF MPF

IL EST MARRANT, LUI !

IL VOUS MENT À TOUS !

C'EST FAUX !!

SHIIIN

BROUHAHA

PUISQUE LE VRAI JUGE, C'EST MOI !!

C'EST UN IMPOSTEUR ! CE N'EST PAS UN JUGE !

REGARDEZ ÇA !!

TCHAC

MAIS ALORS...? QUI EST-CE ?!

UN IMPOSTEUR ?! QU'EST-CE QU'IL VEUT DIRE ?!

C'EST UN SINGE-HOMME ! UN DE CEUX QUI PEUPLENT LE MARÉCAGE DE NUMELLE !!

ILS SE LAISSENT EXPRÈS APPRIVOISER PAR LES HOMMES. ILS SAVENT UTILISER NOTRE LANGAGE HABILEMENT ET ARRIVENT À ATTIRER LES HOMMES DANS LE MARÉCAGE OÙ D'AUTRES MONSTRES, QUI SONT DANS LE COUP, ATTENDENT POUR POUVOIR CAPTURER VIVANTES LEURS PROIES !!

LES SINGES-HOMMES ADORENT LA CHAIR FRAÎCHE DES HOMMES. ILS ONT DES MEMBRES TRÈS FINS ET TRÈS LONGS, MAIS SONT SURTOUT TRÈS FAIBLES.

SA SEULE INTENTION EST DE SE DÉBARRASSER DE TOUS LES CANDIDATS EN UNE SEULE FOIS !!

GAH...

...

TiC ☆

C'EST BIEN LUI LE VRAI JUGE ♦

IL N'Y A DONC RIEN D'EXTRAORDINAIRE À CE QU'UN HUNTER, MÊME DE DEUXIÈME ZONE, STOPPE UNE ATTAQUE DE CE GENRE.

LES JUGES SONT EN RÉALITÉ DES HUNTERS QUI EXERCENT CETTE FONCTION GRATUITEMENT À LA DEMANDE DU JURY

CEPEN-DANT...

JE PRENDRAI ÇA COMME UN COMPLIMENT.

OUI, OUI

NOUS SOMMES D'ACCORD ?

À LA PROCHAINE INTERVENTION DE CE GENRE À MON ENCONTRE, ET CE QUELLE QU'EN SOIT LA RAISON, VOUS SEREZ DISQUALIFIÉ.

HIAR HIAR

VOILÀ CE QUI ARRIVE AUX PERDANTS.

HIAR HIAR

!!

OH!

C'EST LA LOI DE LA NATURE...

...

PAS DE PITIÉ !

IL FAUT ÊTRE TRÈS VIGILANT : SURVIVRE ICI EST UNE LUTTE DE TOUS LES INSTANTS.

JE SERAIS CURIEUX DE SAVOIR COMBIEN D'ENTRE VOUS ONT CRU LES DIRES DE CET IMPOSTEUR AU POINT D'ÊTRE PRÊTS À LE SUIVRE...?

EN ROUTE POUR LE DEUXIÈME TOUR DES ÉPREUVES !

BIEN. ET SI NOUS Y ALLIONS ?

COMBIEN D'ENTRE NOUS...? NE SERIEZ-VOUS PAS EN TRAIN D'INSINUER QUE NOUS ÉTIONS DE CEUX-LÀ ?

Nombre de
participants
entrant dans
le marécage
de Numelle :
311

QUEL
BOURBIER
!

CA Y EST ?
ON EST
REPARTIS
POUR UN
MARATHON
?

176

JE LE FLAIRE, SI TU PRÉFÈRES...

SI JE LE SAIS, C'EST PARCE QUE LUI ET MOI SOMMES DE LA MÊME RACE !

TU EN FAIS UNE TÊTE !

AH...

TU COMPRENDS ?

IL NE FAUT PAS SE FIER AUX APPARENCES...

DE LA MÊME RACE QUE LUI...?

ON NE DIRAIT PAS...

HM...

SI ON POUVAIT Y ALLER, ON IRAIT !!

IMBÉCILE !

KIRUA DIT QU'IL VAUT MIEUX ALLER EN TÊTE !!

LÉOLIO !! KURAPIKA !!!

FLAC   FLAC

LE BROUILLARD EST MONTÉ D'UN CRAN.

SHUU

!

FLAC FLAC

TU PLAISANTES...!?

TU POURRAS TE DÉBROUILLER DE TON CÔTÉ, N'EST-CE PAS ?

ILS NE SONT PAS TROP STRESSÉS, ON DIRAIT...

FLAC FLAC   FLAC

ILS ONT DÛ SE FAIRE AVOIR.

C'EST QUOI, CES BRUITS QUI VIENNENT DE L'ARRIÈRE ?

WAAAAAAAA

!?

IL Y AVAIT AU MOINS 100 PERSONNES, NON ?

SÉRIEUSE-MENT ?

JE NE SAIS PAS DEPUIS QUAND MAIS LE GROUPE QUI ÉTAIT DERRIÈRE NOUS A DISPARU...

GLOUPS

LE SÉGAMÉ, "HOMME DE BRUME" ne se déplace que les jours de brouillard. Utilise les hommes-fraises qui poussent en touffes sur son dos pour berner les hommes dans le brouillard et les attaquer.

!?

BRRRR

AAAAAAAAAH

FUYONS!!!

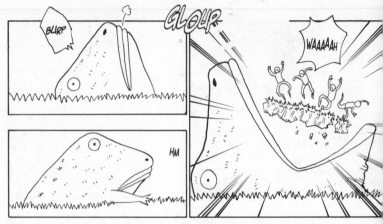

TOUTES MES ARMES SONT RESTÉES DANS MA VALISE !!

QUEL IDIOT !!

LES GROUPES RESTÉS EN ARRIÈRE SEMBLENT TOUS AVOIR ÉTÉ CONDUITS DANS DES DIRECTIONS DIFFÉRENTES !

SANS QU'ON S'EN RENDE COMPTE, ON EST ENTRÉS DANS UN MOUVEMENT DE PURE PANIQUE !

ARGH...

GON !

PEUT-ÊTRE QUE KURAPIKA ET LÉOLIO ÉTAIENT DEDANS...

AAAAAAH

FIUT FIUT FUYONS !

HIAAAAA

Hiiiiiiii

SHLAC SHLAC

OUI...

NE FAIS PAS L'IDIOT !

CE N'EST PAS LE MOMENT DE T'INQUIÉTER POUR EUX !

QUOI ?

OUI ?

GON !!!

ARGH

WOUAH

LE MIEUX QUE TU AS À FAIRE EST DE PRIER POUR NE PAS ENTENDRE TES AMIS CRIER !

REGARDE ! CEUX QUI SONT DEVANT NOUS SONT DANS LE BROUILLARD AUSSI.

PERDS-LES DE VUE NE SERAIT-CE QU'UNE SECONDE ET C'EST LA FIN !

LE JOUR DU DÉPART (Fin)

HUNTER × HUNTER
ハンター × ハンター

UN MANGA AUSSI PROMETTEUR QUE YUYU HAKUSHO.

« Du bonheur, rien que du bonheur ! », telle a été la réaction de l'équipe de
mier tome des aventures de Gon. Et nous espérons que vous partagez notre en

Chez **Kana**, il y avait déjà le basket avec **Slam Dunk**, les enquêtes policières
Détective Conan, une certaine approche de l'héroïc-fantasy avec les **Chevaliers
Zodiaque**, les duels fantastiques à coup de Magic Wizard avec **Yû-Gi-Oh !**…
Voici maintenant le récit d'aventures avec **Hunter X Hunter**. Après avoir explo-
ré l'au-delà avec **"Yuyu Hakusho"**, Yoshihiro **TOGASHI** nous entraîne cette
fois dans un univers complètement imaginaire et qui bouscule tous les repères
existant dans notre fin de siècle ! Où sommes-nous ? A quelle époque nous
situons-nous ? Nul ne peut le dire. Mais, cette situation étant acceptée, le voyage de **Gon** peut commencer, ainsi que le nôtre. Un des principes fondamentaux
du genre étant que le héros fasse des rencontres inattendues au fil du récit, HXH
pe évidemment pas. Très rapidement donc, **Gon** trouve en **Léolio** et **Kurapika** des compagnons de route idéaux.

Les similitudes avec un certain **Son Goku** qui fit d'abord fureur au Japon
et ensuite en France au milieu des années 80, n'auront certainement pas
échappé à la plupart d'entre vous. Mais plus qu'une bête copie, il faut plutôt y voir un hommage, un clin d'œil au Son Goku de **Akira TORIYAMA**
(comprenez **Dragon Ball** et non **Dragon Ball Z**). La suite du récit vous
en donnera largement la preuve. Nous n'allons évidement pas vous
raconter la suite de l'histoire, mais nous pouvons d'ores et déjà vous assu-
rer que vous ne serez pas déçus. Au fur et à mesure que le récit progres-
sera, de nouveaux personnages vont apparaître qui étofferont ainsi le fond
et la forme de ce très bon manga. C'est certainement de la richesse de
chacun de ses personnages que ce manga tire d'ailleurs la sienne.

On y va de surprises en surprises, guidé par un auteur très en forme. La narration apparaît en effet relativement travaillée pour un manga initialement destiné à une parution hebdomadaire : HXH est d'ailleurs toujours publié dans le **"Weekly Shônen Jump"** qu'on ne présente plus et il est, avec **"One Piece"**, un des deux titres phares de cet hebdomadaire. 6 volumes reliés identiques à celui que vous tenez entre les mains sont déjà sortis et on en espère beaucoup d'autres !

Par ailleurs, vu le succès de HXH, une version animée ne s'est pas faite attendre : depuis le samedi 16 octobre 1999, les épisodes de "Hunter X Hunter" sont diffusés entre 18h30 et 19h sur la chaîne **Fuji**. Les illustrations qui jalonnent ces explications en sont d'ailleurs tirées. Nous vous parlerons un peu plus longuement du dessin animé la prochaine fois !

Enfin, c'est une évidence, vous pouvez retrouver HXH sur Internet. Bien entendu, cela s'adresse d'abord à ceux qui ont la chance d'avoir un ordinateur avec une connexion au net, mais aussi et surtout à ceux qui connaissent cette difficile langue qu'est le japonais : aucun site français (ni même anglais) ne semble en effet s'être penché sur HXH. Quoi qu'il en soit, cela vous permettra de voir à quoi ressemble un site Internet japonais et cela ne vous gênera pas pour regarder les dessins des fans et autres illustrations.

quelques adresses : (Liste Non exhaustive)

Le site officiel de l'éditeur japonais :

www.shueisha.co.jp/topic/canbatch/index.htm

Les sites de fans :

Sur le manga :

www.may.sakura.ne.jp/hisoka/

Sur le dessin animé :

www.w3.cec-ltd.co.jp/index.htm

www.w3.cec-ltd.co.jp/sakuhin.htm

Ou encore :

Vous pouvez passer par un serveur de recherches japonais, tel que yahoo.co.jp, et taper en mots-clés : hunter x hunter.

NAOKI URASAWA présente

MONSTER

浦沢直樹

SAVIEZ-VOUS QU'ON POUVAIT AVOIR TRÈS PEUR EN LISANT UN MANGA ?

Düsseldorf, 1986, le Dr Tenma ne pouvait pas savoir que l'enfant qu'il venait de sauver deviendrait un tueur machiavélique! Commence alors pour le chirurgien, une traque pour arrêter Johann, surnommé "Monster" et éclaircir le mystère qui l'entoure. Frissons garantis! .

PSYCHOMETRER EIJI

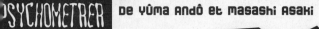
DE YÛMA ANDÔ ET MASASHI ASAKI

Là où les méthodes d'investigation classiques ont échoué, il reste encore la psychométrie...

Un jeune lycéen doté d'un don de vision extra-lucide fait équipe avec une séduisante inspectrice pour traquer les tueurs en série de Tokyo. Le jeune Eiji va découvrir en même temps que nous l'étendue et les possibilités de son pouvoir. **Angoissant!**

Un manga très réaliste dans lequel on plonge littéralement!

de Hiroyuki Takei

Qui n'a jamais rêvé de devenir le King ?

Les shamans ont le pouvoir de communiquer avec les esprits et de les aider à retrouver la paix et le repos éternel. Mais ne devient pas shaman qui veut. Yoh, aidé par ses amis et un esprit samouraï de plus de 600 ans, se sent prêt à devenir le Shaman King mais la route est longue et il n'est pas le seul à briguer le titre !

Entrez dans un monde où les esprits s'affrontent.

YUYU HAKUSHO

de Yoshihiro Togashi

BIENVENUE DANS LE MONDE DES TÉNÈBRES

Quand Yusuke, petit voyou, décède avant son heure et se voit confier la mission de détective de l'au-delà, attendez-vous à ce que cela remue! Super-pouvoirs, super-héros, super-ambiance...! L'histoire complète en 19 volumes.

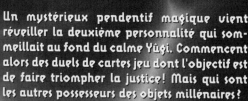

HUNTER X HUNTER

© DARGAUD BENELUX 2000
© DARGAUD BENELUX (DARGAUD-LOMBARD s.a.) 2003
7, avenue P-H Spaak - 1060 Bruxelles
4ème édition

© 1998 by Yoshihiro TOGASHI
All rights reserved
First published in Japan in 1998 by Shueisha Inc., Tokyo
French language translation rights in France arranged by Shueisha Inc.
Première édition Japon 1998

Tous droits de traduction, de reproduction et d'adaptation strictement réservés
pour la France, la Belgique, la Suisse, le Luxembourg et le Québec.

Dépôt légal d/2000/0086/39
ISBN 2-87129-266-3

Conception graphique : Les Travaux d'Hercule
Traduit et adapté en français par Thibaud Desbief
Lettrage : Eric Montésinos

Imprimé en Italie par G. Canale & C. S.p.A. - Borgaro T.se (Torino)